雪女の家
おけら山
ちくちく森
ひりひり滝
おおかみ男の家
ぬるぬる池
かたかな橋
にこにこ
ぷんぷん
めそめそ
の花畑
ぞくぞく劇場
美術館
ぞくぞく
小学校

ぞくぞく村の

ゾンビのビショビショ

末吉暁子・作
垂石眞子・絵

コーポ
ぞくぞく
骨折注意
階段あわてずに
もえないゴミは満月の夜に。
ジェイソン

ぞくぞく村《むら》の女《おんな》ゾンビ、
ビショビショは、
村《むら》はずれの墓石《はかいし》の下《した》、
「コーポぞくぞく」に
住《す》んでいます。

墓石《はかいし》の下《した》にも夜《よる》がやってくるころ、ビショビショはおきだして、
まずは、どろんこぶろにトッポーン！

ドローリ
ドロドロ
どろんこ　おふろ
おふろの　中《なか》で
ストレッチ
どろが　身《み》につく
骨《ほね》につく
これぞ　最高《さいこう》
ゾンビの　おしゃれ

どろんこ水《みず》をしたたらせておふろからあがると、
青《あお》かびパウダーで体中《からだじゅう》を、パタパタパタパタ！

「う～ん、あたしって、メッチャかっこいい！」

かがみを見《み》て、ポーズ！

「さて、お食事《しょくじ》タイム。」

シチューなべに火《ひ》をつけました。

とつぜんですが、ゾンビ・とくせいシチューの作《つく》り方《かた》

1．材料《ざいりょう》を集《あつ》める。（べろべろの実《み》・ミミズに毛虫《けむし》・どくキノコ・ぞくぞく村中《むらじゅう》から集《あつ》めてきた生《なま》ごみ）

2．材料《ざいりょう》をくさらせる

3．なべに、材料《ざいりょう》とどろ水《みず》をいっしょにぶちこんで、火《ひ》にかける

4．飛《と》んできたハエやクモをつかまえて、なべにぶちこむ

5．たっぷり一日《いちにち》かけてにこむ

どうです。やさしいようでむずかしいでしょう。

あれ

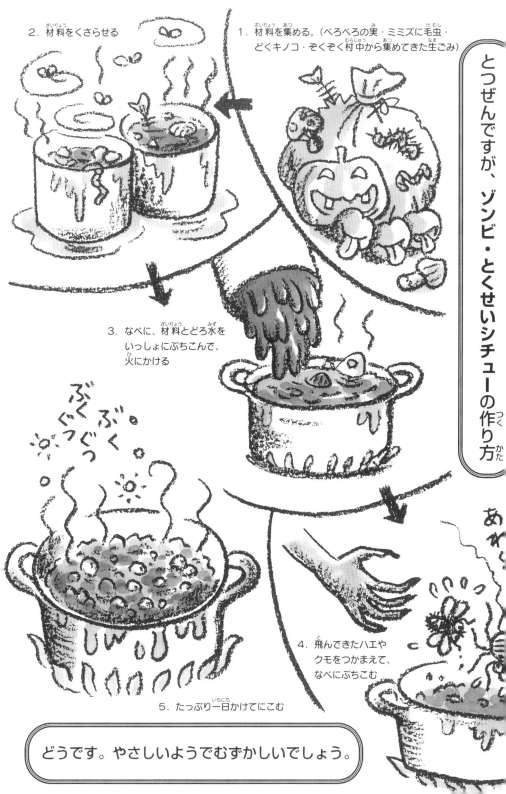

「いいにおい！　ひと口《くち》お味見《あじみ》。う〜、脳天《のうてん》にビリビリ。かみの毛《け》、ザワザワ〜！　もうちょっと、マイルドな味《あじ》にしようかなー。」

そこでビショビショは、ベッドの下《した》のわたぼこりをかき集《あつ》めて、ふわふわふわっと、おなべに入《い》れました。

「どれどれ。ズズズ〜！　サイコー！　そうだわ。おとなりの、がいこつガチャさんにも、おすそわけしてこようっと。ガチャさん、いつも、ろくなもの食《た》べていないから、ガリガリにやせてるもん。」

ビショビショは、とくせいシチューをおさらに入《い》れると、いそいそとへやを出《で》ました。

ズルズル、ビチャビチャと、足《あし》あとをのこしながら、おとなりへ。

ガチャさんのへやの中《なか》からは、
かすかに、美《うつく》しい音楽《おんがく》がひびいてきます。

「うふふ。いるいる。ガチャさん、
また、シンキくさい音楽《おんがく》を聞《き》きながら、
ろくでもない詩《し》を作《つく》ってるんだ。
ごはん食《た》べるのもわすれて……。」

ドアを、コンココ、コンコン、
スッコンコン！
も一つおまけに、ドンドコドン！

「ガーチャさん！　あたしよ。
おいしいシチューが
できたから、持《も》ってきたわよ。」

ビショビショは、かぎあなのすきまから
シチューのにおいをおくりこんであげました。

すると……、

「うっ！」

と、ひと声《こえ》聞《き》こえてきて、ぷつんと音楽《おんがく》が止《と》まりました。

それっきり、シ――――ン！
「ガチャさん！　開《あ》けてちょうだいな。シチューが冷《さ》めちゃうわ。」
ドアを、ガンガンたたいてやると、しばらくたってから、
ようやくドアが開《あ》きました。
顔《かお》を出《だ》したのは、がいこつガチャさん。
すっかりお出《で》かけモードで、マスクまでしています。

あわてて
出《で》かける用意《ようい》を
したせいか、
ぼうしはひんまがり、シャツのボタンはかけちがっています。
「あ、ごめんよ。ビショビショ。せっかくだけど、ぼく、今《いま》、
ちょうど食事《しょくじ》がおわって、出《で》かけるところなんだ。」
ゆげを立《た》てているシチューから顔《かお》をそむけながら、
ガチャさんは言《い》いました。
「あら、そうなの？　でも、シャツのボタンが、
かけちがってるわよ。」

「ほっといてくれー！」

ガチャさんは、トットコ、かけだします。

「待《ま》って！　今《いま》、なおしてあげる。
ボタンをかけちがったまま出《で》かけると、
かみなりにうたれるって言《い》うから。」
ビショビショも、シチューを
ほうりだして追《お》いかけました。
すると、ガチャさんはふりむいて、
「たのむからぼくのこと、つけまわさないで
くれ。きみの気持《きも》ちはわかるけど、
ぼくはきみといっしょに
くらす気《き》はないんだよ。」
いっきに言《い》うと、階段《かいだん》をかけあがっていきました。

ビショビショは、きょとん！
「なに、かんちがいしてんのかしら。あたしはただ、
いいこと、すすめてるだけなのに。
待《ま》ちなさいったら！　ようし！」

なーに ゾンビにゃ ゾンビの近道が あるのよー

耳《みみ》をすませば、地上《ちじょう》からは、
トテトテトテ！

ガチャガチャガチャ！

ガチャさんの足音《あしおと》が聞《き》こえます。

「ふふっ。あんなとこを走《はし》ってくわ。」

モグラをけちらし、ミミズをふんづけ、木《き》の根《ね》をけとばして、ビショビショは追《お》いかけます。

けれども、どっきり広場《ひろば》の下《した》にやってくると、ガチャさんの足音《あしおと》も人《ひと》ごみにまぎれて、わからなくなってしまいました。

ほん
Book

でも、だいじょうぶ。
こんなときは、地中《ちちゅう》の
おなかま、マンダラゲの
花《はな》の精《せい》に聞《き》くのです。
「ガチャさんなら、
あっち、行《い》ったわよ〜。」
と、教《おし》えてくれました。
「ありがと。
もじゃもじゃ原《はら》っぱ
の方《ほう》ね。」

ビショビショは、ひと足先《あしさき》に
もじゃもじゃ原《はら》っぱにたどりつき、
ガチャさんの足音《あしおと》が聞《き》こえたところで、
ズボッ、ジャジャジャーン！
と、地上《ちじょう》に
おどり
でました。

「待《ま》ってたわよ。」

「うわっ、ビショビショだ！」

おどろいてにげだそうとしたガチャさんは、もじゃもじゃの草《くさ》に足《あし》をとられて、ドテーン！

すかさず、ビショビショは、ガチャさんにタックル。

「さあ、ボタン、なおしてあげる。」

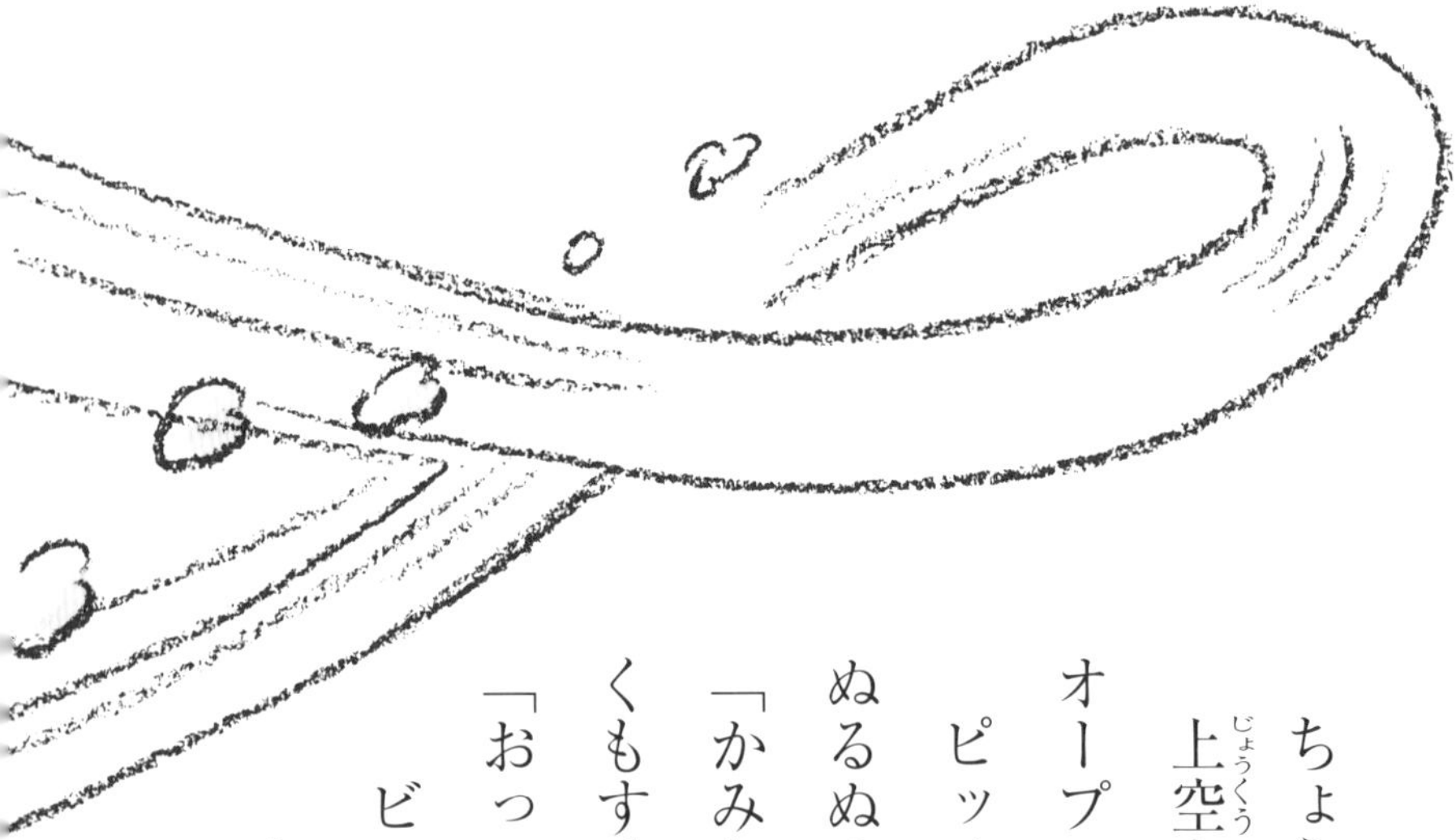

ちょうどそのときです。

上空《じょうくう》を、雨《あめ》ぼうずピッチャンが雲《くも》の
オープンカーで通《とお》りかかりました。

ピッチャンは、妖精《ようせい》レロレロに、
ぬるぬる池《いけ》の大《おお》そうじをたのまれたので、
「かみなりおこし」の七つ道具《どうぐ》をつんで、
くもすけといっしょにかけつけるところでした。

「おっ！　ガチャさんが、また、ゾンビの
ビショビショにつかまってらあ。
あっはっは！　おもしろいから、
見物《けんぶつ》していこう。」

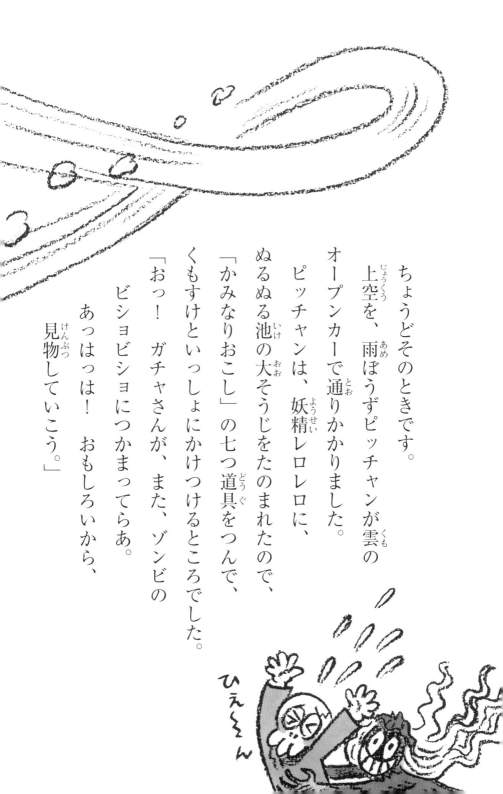

ピッチャンは、ぐるりとU《ユー》ターン。
よそ見《み》をしながら運転《うんてん》していて、
「あわわ、ぶつかる！」
ちびっこおばけたちの家《いえ》の
とんがり屋根《やね》にぶつかりそうに
なって、あわてて急《きゅう》ブレーキ。

そのひょうしに、乗《の》っていたくもすけと
七つ道具《どうぐ》が飛《と》びだして、

大量《たいりょう》の雨《あめ》が、
ビショビショの頭《あたま》にザバーッ！

かみなりも、大《おお》きな音《おと》をたてて、

ガチャさんの上《うえ》に、ドッカーン！

グアッ！ かみなりだ！
スワッ！ たいへんだ！
ピエ〜〜 もじゃもじゃ原っぱに 落ちた！

グーちゃん、スーちゃん、ピーちゃんも飛《と》びだしてきました。
ビショビショが、おそるおそる顔《かお》を上《あ》げてみると、ガチャさんは、
頭《あたま》からけむりを出《だ》して、ひっくりかえっています。
見《み》れば、金《きん》のボタンは全部《ぜんぶ》ちぎれて、
どこかへ飛《と》びちっていました。
「あーあ！　だから、言《い》ったでしょ。
ボタンをかけちがったまま、
出《で》かけるからよ。」
ビショビショは、もじゃもじゃの
葉《は》っぱをかきわけて、ボタンを
ひろいあつめました。

「うふふ。こう見《み》えても、あたし、
お料理《りょうり》とボタンつけはとくいなの。
帰《かえ》ったら、ちゃんと
もとどおりにつけてあげるから
だいじょうぶよ、
ガチャさん！」
でも、ガチャ
さんは、あおむけに
なったまま、
ぴくりとも
動《うご》きません。

「ガチャさん！　おきて！
おきてったら！」
コンコンと、ガチャさんの
頭《あたま》をたたきましたが、
ウンともスンとも言《い》いません。
それを見《み》た雨《あめ》ぼうずの
ピッチャンは、
「ヤバイ！　にげろ！」
くもすけをつれて、
スタコラ、ピューッと
にげていってしまいました。

「ワーン！　ガチャさんが、
かみなりにうたれて死《し》んじゃった！
ボタンをかけちがえたまま、
出《で》かけたからだわ。
あたしが早《はや》くなおして
あげなかったからだわ。
あたしのせいだわ。ウワーン！」
ビショビショがないていると、
ちびっこおばけたちもそばにきて、
「かわいそうなガチャさん！　ピエー！」
ピーちゃんは、なきだしました。

「でも……、
ぞくぞく村《むら》に
住《す》んでいるのは、
もともと、おばけや
妖怪《ようかい》だから、
死《し》んだりしないッス。」
と、スーちゃん。
「グエー！
ガチャさんの目《め》、見《み》て！
いなびかりが走《はし》ってる！」
と、グーちゃん。

見《み》れば、ぽっかり開《あ》いたガチャさんの
目《め》の中《なか》で、チカチカ光《ひか》っているのは、
たしかにいなびかり。
「うわあ！　なに、これ？
どうすればなおるの？」
「魔女《まじょ》のオバタンのとこへ、
行《い》くっきゃない！　グー、スー、ピー！」
ちびっこおばけたちは、声《こえ》をそろえて
言《い》いました。

そこで、ビショビショは、ガチャさんを、ヨイサと
かつぎあげると、ぐずぐず谷《だに》にむかいました。
ちびっこおばけたちは、ビショビショを見《み》おくりながら、
ふしぎそうにないしょ話《ばなし》。
「グエ？　あの人《ひと》、だあれ？」
「知《し》らないッス。」
「見《み》たこと、
ないッピ。」

それもそのはず。

ビショビショは、さっきのはげしい雨《あめ》にあらわれて、せっかくのどろんこげしょうもはげおちて、がいこつの顔《かお》がむきだしになっていたのです！

そればかりか、かみの毛《け》も服《ふく》も、おせんたくをしたように、こざっぱりしています。

でも、それどころではないビショビショは、ガチャさんを背《せ》おって、ぐずぐず谷《だに》を、ズルズルとおりていきました。

「魔女《まじょ》のオバタン！　がいこつガチャさんが、
かみなりにうたれて、たいへんなの。」

ビショビショがガチャさんをかつぎこむと、
魔女《まじょ》のオバタンも、ひと目見《めみ》てびっくり。

「あれま。なんじゃ、これは。」

「なおるかしら。」

心配《しんぱい》そうにのぞきこむビショビショに、

「まかしとき！」

オバタンは、胸《むね》を、ドン！

「おまえたち、どっかから、風船花火《ふうせんはなび》を二つ、
持《も》っといで！」

四ひきの使《つか》い魔《ま》たちは、
すぐにどこかへすっとんで
いきました。
「これでよし。ガチャさんは
すぐに目《め》をさますさ。
……ところで、あんた、
いったい、だれ？」

オバタンに聞《き》かれて、かがみを見《み》た
ビショビショは、飛《と》びあがりました。
「きゃっ！　あたし、まっ白《しろ》けじゃないの！」
おしゃれにこだわるゾンビとしては、
こんな顔《かお》を、人前《ひとまえ》にさらすわけにはいきません。
「さ、さいなら。ガチャさんのこと、
たのんだわよ。」
そう言《い》いのこすと、にげるように、
オバタンの家《いえ》をあとにしたのです。
「へんなやつ。あんな人《ひと》、ぞくぞく村《むら》に
いたっけねえ。」

そこへ、使《つか》い魔《ま》たちが、風船花火《ふうせんはなび》を持《も》ってもどってきたので、
「ま、いいか。
それじゃ、
いくよ。」
そう言《い》って、
風船花火《ふうせんはなび》をひとつずつ持《も》って、
糸《いと》の先《さき》をガチャさんの目《め》の上《うえ》にたらしました。

「セーノ！　ブックサブックサ
……ガミガミ、ドカーン！」

オバタンがじゅもんをとなえおわると、どうでしょう。糸《いと》の先《さき》には、目《め》の中《なか》のいなびかりがくっついて、パチパチ、チカチカ、光《ひか》っています。

「どうだ！　せんこう花火《はなび》だ！」

「ヤンヤ、ヤンヤ！　さーすが、オバタン！」

使《つか》い魔《ま》たちは、はくしゅかっさい。

せんこう花火《はなび》は、パチパチ、チカチカ、もえていって、
だんだん風船《ふうせん》に近《ちか》づいていきます。

うわっ もうすぐだ！
ひゃあ！ 耳をふさげ！
ぎゃ！ ふせろ！
ほえっ にげろ！

ドカーン！
バーン！

「ガチャー！　なんだ、なんだ、なんだ？」

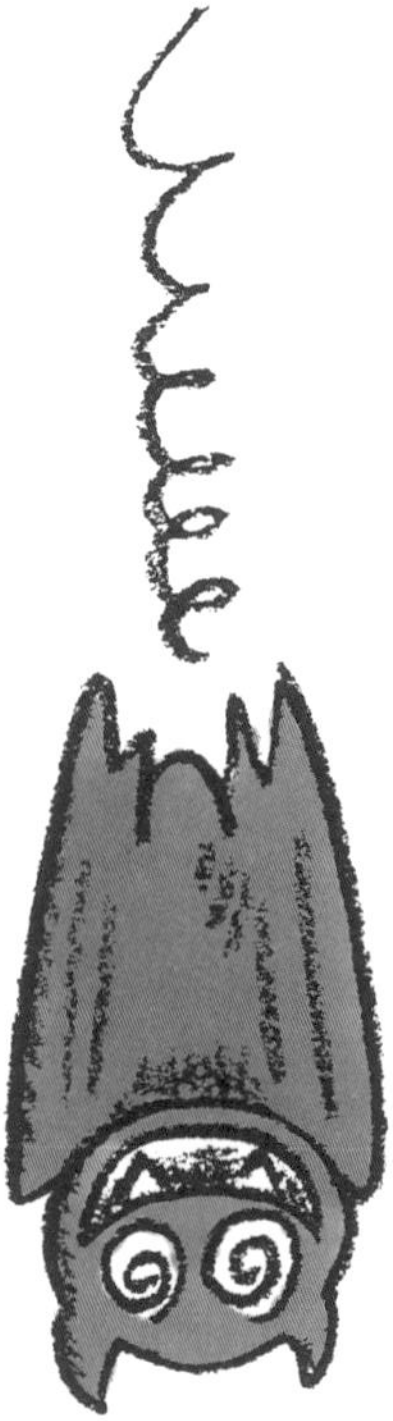

ガチャさんは目《め》をさまして、あたりをきょろきょろ。

「あれ？　ここはどこ？　ぼくちゃん、だあれ？」

「ここは魔女《まじょ》のオバタンのうちだバサ。」

「あんたはがいこつガチャさんだ、ブオイ。」

「ガチャさん、かみなりにうたれていたのを、魔女《まじょ》のオバタンが、もどしてくれたんだ、ペロ。」

「あそこを走《はし》っていく人《ひと》が、ここへかつぎこんでくれただニャ。」

ようやく、さっきのことを思《おも》いだしたガチャさんは、アカトラの指《ゆび》さす方《ほう》をながめました。

ぐずぐず谷《だに》をかけあがっていく女《おんな》の人《ひと》が、そのとき、こちらをふりむきました。

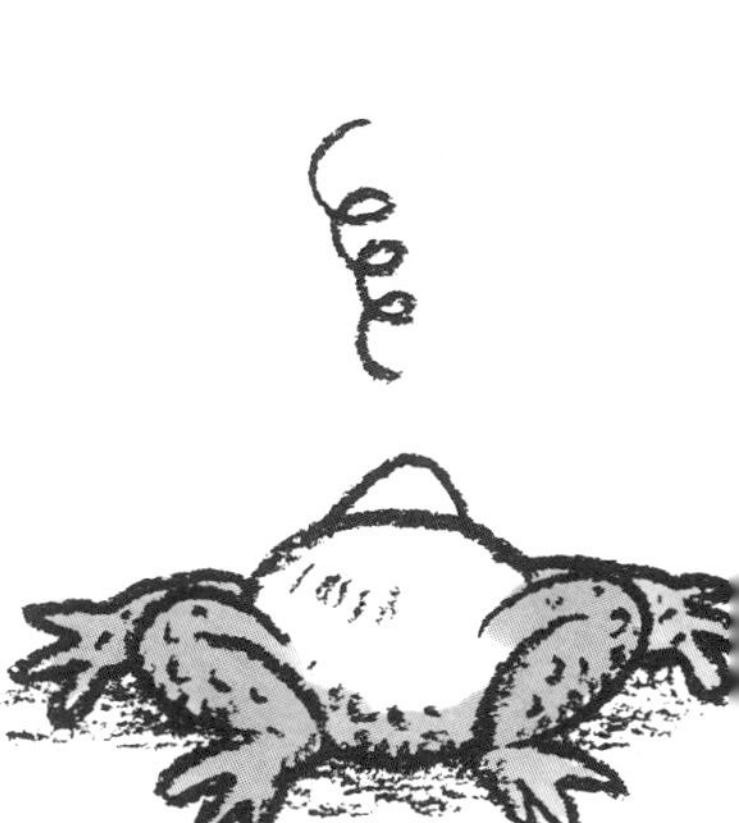

女《おんな》の人《ひと》の全身《ぜんしん》は、月光《げっこう》にてらされて、銀色《ぎんいろ》にかがやいていました。
まっ白《しろ》ながいこつの顔《かお》のまん中《なか》で、しんじゅのような
歯《は》ならびが、チンテレポン！　と、きらめきました。

ドッキーン！　ブルルル、ル〜ン！
ガチャさんのあばら骨《ぼね》は、ふるえました。

「すてきな人《ひと》……。あの人《ひと》、だあれ？」

魔女《まじょ》のオバタンに聞《き》いても、

「さあ、知《し》らないね。」

使《つか》い魔《ま》たちに聞《き》いても、首《くび》をふるばかりです。

「うむむ！　すばらしい恋《こい》の予感《よかん》……。」

ガチャさんは、フラフラと立《た》ちあがると、女《おんな》の人《ひと》のあとを追《お》って、ぐずぐず谷《だに》をまいあがっていきました。

「待《ま》って！　ぼくをおいていかないで！」

けれども、ガチャさんが、ぐずぐず谷《だに》の上《うえ》まで、

まいあがっていったときには、女《おんな》の人《ひと》はどこへ
行《い》ったのか、かげも形《かたち》もありません。
「どこへ行《い》ったんだろう。きっと、ぞくぞく村《むら》の
どこかにいるはずだ。」
ガチャさんは、ミイラのラムさんに聞《き》いたり、
ぬるぬる池《いけ》の妖精《ようせい》レロレロに聞《き》いたり……。
でも、みんな、
首《くび》をふるばかり。

さて、ゾンビの
ビショビショは、
地中《ちちゅう》を走《はし》って、
まっしぐらに
コーポぞくぞくに
帰《かえ》ってくると、

生ごみのバケツにブルブルブル！

青かびパウダーをパタパタパター！

なんとか、ゾンビの
顔《かお》らしくなって、
ほっとひと息《いき》。
「やれやれ。もうちょっとで、
ガチャさんにまで、
すっぴんの顔《かお》を
見《み》られるところだったわ。」

しばらくすると、コンコン、コン！　と、
えんりょがちなノックの音《おと》が……。
出《で》てみると、がいこつガチャさんが、
立《た》っているではありませんか。

「あーら、ガチャさん！　もとどおり、元気《げんき》になったのね。」
ビショビショは、ドアを大《おお》きく開《あ》けました。
「よかった！　上着《うわぎ》のボタンひろっといたから、つけてあげる。
さっきの上着《うわぎ》、持《も》ってきて。」
ビショビショが、ポケットから金《きん》ボタンを取《と》りだすと、
ガチャさんは、
「せっかくだけど、今《いま》、ぼく、ボタンどころじゃないんだ。
もしかして、こういう人《ひと》、どこかで見《み》かけなかったかなあ。」
顔《かお》をそむけたまま、手《て》にした紙《かみ》を見《み》せました。
紙《かみ》には、似顔絵《にがおえ》がかいてありました。
「え？　だれの顔《かお》？」

……月光《げっこう》をあびて、ニカッと
わらうがいこつ女《おんな》。
それを見《み》たビショビショは、
ぎくっ。
(うわ、やっぱり見《み》られてたんだ、
あたしの素顔《すがお》を……。)
でも、そ知《し》らぬ顔《かお》で言《い》いました。
「知《し》らない、知《し》らない。
ぞくぞく村《むら》にはそんな女《おんな》、
いないわよ。でも、なんで、
その人《ひと》、さがしてるの?」

すると、ガチャさんは、はずかしそうに言《い》いました。

「いやね、ちょっとぼくのあばら骨《ぼね》に、ズキーン！　と、ひびいたんでね。だれか～、がいこつ女《おんな》を知《し》らないか～。」

言《い》いながら、また、ふらふらと、どこかへ行《い》ってしまったのです。

「へんね。あたし、ガチャさんのあばら骨《ぼね》に、ひびが入《はい》るようなこと、してないわよ。ま、いいわ。あたし、ボタン、つけといてあげるから。」

ビショビショが、ガチャさんのへやに行《い》ってみると、
ドアは開《あ》けっぱなしです。
「あ〜あ、ガチャさん、なにかにむちゅうになると、
ドアにかぎをかけるのもわすれちゃうんだから……。
どろぼうに入《はい》られても知《し》らないわよ。」
ビショビショは、かってに中《なか》に入《はい》ると、
「ガチャさんが、さっき着《き》てた上着《うわぎ》はどこかしら。」
あちこち、さがしまわりました。
たちまち、ガチャさんのへやは、ビショビショの
足《あし》あとだらけになりました。

「あっ、あったわ。こんなところに。」

寝室《しんしつ》のすみに、丸《まる》めて投《な》げすてられている上着《うわぎ》を見《み》つけると、ビショビショは、ガチャさんのベッドにすわりこんで、ボタンつけ。

ボタンつけなら
とくいなの。
チョチョイのチョイと。
ほら、全部つけた！

あれ〜〜！ボタンが
一個たりない！ってことは
ビョビョ〜〜ン！まだ、
もじゃもじゃ原っぱに
落ちてるんだ！

ビショビショは、すっくと
立《た》ちあがりました。

ビショビショは、
またもやアパートから
飛《と》びだすと、地中《ちちゅう》をまっしぐら。

だらしのないガチャさんを
見すてておけないあたしなの。
なんとしてもボタンを全部
つけてあげなくちゃ。

どっきり広場《ひろば》のま下《した》を通《とお》りかかると、
ガチャさんの声《こえ》が聞《き》こえてきました。
ビショビショが、そうっと地上《ちじょう》に
顔《かお》を出《だ》してみると、人《ひと》だかりの前《まえ》で、
ガチャさんが、似顔絵《にがおえ》を見《み》せながら、
詩《し》を読《よ》みあげていました。

月明《つきあ》かりの下《した》　きみが　ほほえめば
ま白《しろ》なる　歯《は》が　ほしくずと　なりて
チンテレポンと　夜空《よぞら》に　散《ち》りぬ
ああ、きみは　いずこに　きえたのか

「なに、言《い》ってんだか、
わかーんない。」
ビショビショは、
また、地中《ちちゅう》にもぐると、
もじゃもじゃ原《はら》っぱ
めざして、一目散《いちもくさん》。

原《はら》っぱにやってくると、むちゅうで、
ボタンをさがしはじめました。
すぐに、ちびっこおばけのグーちゃん、
スーちゃん、ピーちゃんがやってきました。
「グエ？　ゾンビのビショビショさん？」

「なにさがしてるッス？」

「いっしょにさがしてあげるッピ。」

「ありがと。あのね、ガチャさんが
落《お》とした上着《うわぎ》の金《きん》ボタン、
一個《いっこ》たりなかったから、さがしてるの。」

「ググ、あのかみなりにうたれたときね。」

「そうそう。どこ、行《い》っちゃったのかしら。」

「スッと、あのとき、いた人《ひと》は……。」

ちびっこおばけたちは、ひそひそ、ささやきあいました。

「ビショビショさんだった……。グー、スー、ピー！」

そこへ、おしゃれおばけのおじいさんがやってきました。

ちびっこたちゃ なにをしてるんだね
そういえば わし ここで ボタンを一個
あっ おじいさん ガチャさんの上着の 金ボタンを さがしてるの
それ それ それよ よかった!

ぬるぬる池の妖精レロレロさんにあげちゃったんだよ
なんてこった！
はやくいってとりかえさなくっちゃ
バリッ！
あ……でもわしのひろったのは貝のボタンだったがなあ……
ビュ〜ッ

さて、ビショビショは、
ぬるぬる池《いけ》にやってきましたが、
妖精《ようせい》レロレロは言《い》うのです。
「ああ、あれ？
ペットのこいのトトちゃんが、
飲《の》みこんじゃったのよ。
ごめんなさい。」

「ビョビョ〜ン！　がっくり。」
ビショビショが、池《いけ》のほとりにしゃがみこんだ
ときでした。
向《む》こうから、ガチャさんが、トテトテトテと
やってきました。
なぜか、片手《かたて》にバケツを持《も》っています。
「やあ、ビショビショ。聞《き》いたよ、
ちびっこおばけたちに……。」
「へ？　なにを？」
ビショビショは、きょとん！

「でも、まだ信《しん》じられない。
あの女《おんな》の人《ひと》がきみだったなんて……。」
ガチャさんはいきなり、バケツの水《みず》を、
ザバーッと、ビショビショの
顔《かお》めがけて、ぶっかけました。

「ビャーッ！
なに、するのよ。」
たちまち、ビショビショの
どろんこげしょうははげて、
がいこつの顔《かお》がむきだしに……。

「やっぱり、きみだったのか！」

「なにするのよ。ひどいじゃないの！
こだわりのおしゃれをしてるのに。」
「ああ！　こんな近《ちか》くにいたんだ。
ぼくにふさわしい理想《りそう》の人《ひと》が！
ぼくは、なんてばかだったのだ。
ぼくの上着《うわぎ》のボタンつけ、
やってくれると言《い》ったのに！」
ビショビショは、ふりかえって言《い》いました。
「ボタンつけなら、もうやったわよ。
でも、ボタンが一個《いっこ》、たりなくて。」
すると、ガチャさんは言《い》いました。

「ぼくの上着《うわぎ》、はじめからボタンが一個《いっこ》、取《と》れていたんだよ。だから、かけちがってたんだ。」

「ビョヨ〜ン！　なあんだ。」

「こぼれる歯《は》ならびが、しんじゅのようだ。いつも今《いま》のままでいて！」

「そ、そう？　じゃあ、ガチャさんも、あたしの言《い》うこと、よく聞《き》いてね。」

ビショビショがわらうと、ガチャさんはますますうれしそうにまいあがりました。

ガチャさんとビショビショは、手《て》をつないで、コーポぞくぞくに帰《かえ》ってきました。

ところが、ビショビショは、へやに帰《かえ》って、
かがみを見《み》たとたん、
「ぎゃっ！　あたし、やっぱり、メチャメチャかっこ悪《わる》い！」
あわてて、どろんこぶろに飛《と》びこんだのでした。

ホッ

それからというもの、
ぞくぞく村《むら》では、
バケツを持《も》ったガチャさんの、
ビショビショを追《お》いかけるすがたが、
ときどき見《み》られるようになりました。
でも、そのわけを知《し》る者《もの》は、
だあれもいませんでした。

や〜なこった

満月《まんげつ》のうしみつ時《どき》に「ビショビショ先生《せんせい》のお料理《りょうり》レッスン」こうひょうオンエア中《ちゅう》!

ぞくぞく村《むら》だより⑬号《ごう》

ビショビショ監修《かんしゅう》
ゾンビ特集《とくしゅう》

◆発行所《はっこうじょ》◆
ぞくぞく村《むら》広報室《こうほうしつ》

ゾンビのビショビショ大研究《だいけんきゅう》

キレイになるためのキーワードは　コレ!

へどろパックは、美《うつく》しいドロ顔作《がおづく》りにかかせません。へどろシャンプーも愛用《あいよう》しています。

どろんこぶろで、身《み》も心《こころ》もリラックス。いつでも好《す》きなときに入《はい》れるように、グツグツとわかしっぱなしにしています。

青《あお》かびパウダーはおけしょうの基本《きほん》。ラムさんのお店《みせ》で売《う》っています。お気《き》にいりの香水《こうすい》はナメクジコロン!

ビショビショは、いがいにも世話《せわ》にょうぼうタイプ。料理《りょうり》、おさいほう、みだしなみのチェックならまかせて!

ピッチャンの特《とく》ダネ写真展《しゃしんてん》

ぞくぞく村《むら》のあちこちで、ビショビショとガチャさんのラブラブなツーショットを見《み》つけたよ。カシャッ!

◇月◎日
追《お》いかけるガチャさんと、にげるビショビショ!?　あれ?　なんかぎゃくになってるぞ。

○月※日
追《お》いかけるビショビショと、にげるガチャさん。

☆月△日
七《なな》つ子《こ》のおたんじょう会《かい》で食事中《しょくじちゅう》のふたり。

お空《そら》の運転《うんてん》は、安全第一《あんぜんだいいち》!　ピッチャン、こわれた屋根《やね》を修理《しゅうり》してね!（グー、スー、ピー）

おたよりください ▼あてさき▼ 〒一〇一—〇〇六五 東京都千代田区西神田三—二—一 あかね書房「ぞくぞく村」係

ヒショヒショの こ・だ・わ・り ファッションチェック〜!!

ぞくぞく村《むら》には、おしゃれなおばけがいっぱい。

しかし。みなさん、まだまだあまいわよ〜！ あたしのアドバイスを聞《き》いて、もっともっとおしゃれを楽《たの》しんでね。

●レロレロさんは、かつらのセンスがステキ！ でも、今年《ことし》はさらにハデ……そうね、モヒカンなんかで、ビシッと、ハードにキメてほしいところだわ！

●おしゃれおばけのおじいさんにはせっかくおひげがはえてるんだから、パーマをかけてもっとアピールを！

●ミイラのマミさんは、ほうたいのむすび方《かた》をくふうして、てがるにイメージチェンジ！ 色《いろ》っぽくなるでしょ？

ぞくぞく美術館《びじゅつかん》

にがおえ展《てん》 かいさい中《ちゅう》!! 作品《さくひん》も ぼしゅう中《ちゅう》!!

おすまし レロレロ
兵庫県・まなさん

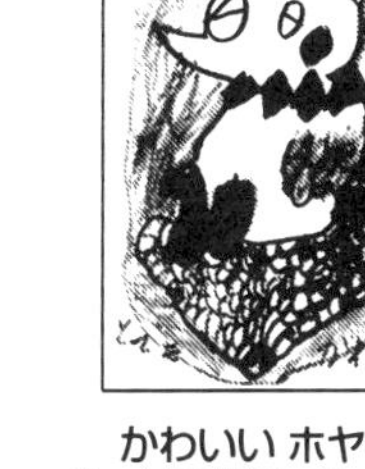

かわいい ホヤホヤ
神奈川県・舜一くん

質問《しつもん》コーナー

Q クーちゃん スーちゃん ヒーちゃんに、こわいものはあるの？

A．ちびっこおばけたちがにがてなものは実《じつ》は「鳥《とり》」！ だから、ぞくぞく村《むら》に、怪鳥《かいちょう》ホヤホヤが来《き》てから、三人《にん》は内心《ないしん》びくびくしているのですよ。

作者　**末吉暁子**（すえよし　あきこ）
神奈川県生まれ。児童図書の編集者を経て、創作活動に入る。『星に帰った少女』（偕成社）で日本児童文学者協会新人賞、日本児童文芸家協会新人賞受賞。『ママの黄色い子象』（講談社）で野間児童文芸賞、『雨ふり花さいた』（偕成社）で小学館児童出版文化賞、『赤い髪のミウ』（講談社）で産経児童出版文化賞フジテレビ賞受賞。長編ファンタジーに『波のそこにも』（偕成社）が、シリーズ作品に「きょうりゅうほねほねくん」「くいしんぼうチップ」（共にあかね書房）など多数がある。垂石さんとの絵本に『とうさんねこのたんじょうび』（ＢＬ出版）がある。2016年没。

画家　**垂石眞子**（たるいし　まこ）
神奈川県茅ヶ崎市出身。多摩美術大学卒業。絵本の作品に『もりのふゆじたく』『きのみのケーキ』『あたたかいおくりもの』『あついあつい』『なみだ』『しょうぼうじどうしゃのあかいねじ』（以上、福音館書店）、「ぷーちゃんえほん」シリーズ（リーブル）など、童話の作品に「しばいぬチャイロのおはなし」シリーズ（あかね書房）がある。画を手がけた作品に『ちびねこチョビ』『ちびねこコビとおともだち』（以上、あかね書房）、『かわいいこねこをもらってください』（ポプラ社）、『ぼくの犬スーザン』（あすなろ書房）など。
垂石眞子ホームページ
https://www.taruishi-mako.com

ぞくぞく村のおばけシリーズ⑬　**ぞくぞく村のゾンビのビショビショ**

発　行＊2002年10月　第１刷　2024年８月　第32刷　NDC913　79P　22cm
作　者＊**末吉暁子**　画　家＊**垂石眞子**
発行者＊岡本光晴
発行所＊**株式会社あかね書房**　〒101-0065 東京都千代田区西神田3-2-1
電話 03-3263-0641（営業）　03-3263-0644（編集）
https://www.akaneshobo.co.jp
印刷所＊錦明印刷株式会社　製本所＊株式会社難波製本

ISBN978-4-251-03653-7

ぞく村
雨ぼうずの家
びしょびしょ丘
おしゃれおばけの家
オバタンの家
もじゃもじゃ原っぱ
ミイラのラムさん
ブろブろの木
ゴブリンの家
とんとん橋
おばけかぼちゃ畑
吸血鬼の家
ぱかぱか森